CLV

Charles Haddon Spurgeon

Die Tür ist offen

Christliche Verlagsgesellschaft
Dillenburg

CLV
Christliche
Literatur-Verbreitung e.V.
Postfach 110135 · 4800 Bielefeld 11

1. Auflage 1991
2. Auflage 1994

Christliche Literatur-Verbreitung e.V.
Postfach 11 01 35 · 33661 Bielefeld

Früherer Titel: Sein Haus hat offene Türen

Umschlag: Dieter Otten, Bergneustadt
Satz: Enns Schrift & Bild, Bielefeld
Druck und Bindung: Ebner Ulm

ISBN 3-89397-177-7 (CLV)
ISBN 3-89436-033-X (CVD)

Inhaltsverzeichnis

Vorwort

Millionen Menschen leben weit entfernt von Gott. Manche aber sind nicht fern vom Reich Gottes. Sie stehen vor der Tür des Glaubens, dem einzigen Eingang zum ewigen Leben. Man sollte meinen, sie würden sich beeilen, hineinzugehen, denn sie sind herzlich eingeladen: Gottes Haus hat eine offene Tür. Doch sie zögern, und sie haben sehr viele Gründe. Es gehört Weisheit und Erfahrung dazu, ihre Fragen zu beantworten. Ich will es versuchen. Ich kann nicht behaupten, daß ich alle beantwortet habe. Nur der Herr selbst kann die Menschen, an die ich mich wende, dahin führen, den großen, entscheidenden Schritt zu tun. Doch der Herr wirkt durch Mittel, und ich habe dieses kleine Buch in der Hoffnung geschrieben, daß Er es als ein Mittel gebrauchen möge, Fragende und Suchende zu einem einfachen Vertrauen auf den Herrn zu leiten.

Kommt herein! Kommt herein! ist meine dringende Bitte. Möge der Heilige Geist sie wirksam machen bei vielen, die dieses Büchlein lesen. Möge Er Seine eigene, allmächtige Stimme hören lassen, die allein Glauben wirkt!

Erweckung

Viele Menschen kümmern sich nicht um die ewigen Dinge. Sie sorgen mehr für ihre Katzen und Hunde als für ihre Seelen. Es ist eine große Gnade, wenn wir dahin kommen, an uns selbst zu denken und uns darüber klar zu werden, wie wir zu Gott und der ewigen Welt stehen. Das ist sehr oft ein Zeichen des kommenden Heils. Von Natur aus lassen wir uns nicht gern Angst um unser Seelenheil machen, und wir versuchen, wie die Faulen weiterzuschlafen. So eine Torheit! Wir begeben uns in große Gefahr, weil der Tod so nah und das Gericht so sicher ist. Wenn der Herr uns zum ewigen Leben erwählt hat, will Er uns doch nicht zu unserem Schlummer zurückkehren lassen!

Wenn wir vernünftig sind, beten wir, daß die Angst um unsere Seele niemals aufhören möge, bis wir wirklich errettet sind. Es wäre furchtbar, träumend zur Hölle hinabzugehen und die Augen erst wieder zu öffnen, wenn sich die große Kluft zwischen uns und dem Himmel aufgetan hat. Und wenn wir erweckt worden sind, dem zukünftigen Zorn zu entfliehen, wie schrecklich wäre es, wenn wir dann den warnenden Einfluß abschüttelten und zu unserer Gleichgültigkeit zurückkehrten.

Ich stelle oft fest, daß diejenigen, die ihre Gewissensregungen überspielen und in ihren Sünden fortfahren, das nächste Mal nicht so leicht zum Nachdenken zu bewegen sind. Jede Erweckung, die nicht genutzt wird, läßt die Seele schlaftrunkener zurück, als sie vorher war; und so wird es immer unwahrscheinlicher, daß sie wieder zu heiligem Fragen angeregt wird. Darum sollten wir sehr ängstlich sein bei dem Gedanken, unsere Unruhe in irgendeiner anderen als der rechten Weise loszuwerden. Wenn jemand seine Krankheit durch einen Quacksalber behandeln läßt, so mag es geschehen, daß die Schmerzen verschwinden, doch keine wirkliche

Heilung tritt ein, sondern der Tod. Durch eine falsche Hoffnung von der Angst geheilt zu werden, wäre eine schreckliche Sache – das Heilmittel wäre schlimmer als die Krankheit. Es ist besser, daß die Empfindsamkeit unseres Gewissens uns lange Jahre der Angst verursacht, als daß wir sie verlieren und in unserer Herzenshärtigkeit umkommen!

Allerdings ist Erweckung kein Selbstzweck. Wenn ich plötzlich aufwache und feststelle, daß mein Haus brennt, so setze ich mich nicht auf die Bettkante und sage zu mir selbst: „Ich hoffe, ich bin wirklich aufgewacht. Ja, ich bin sehr dankbar, daß ich nicht weitergeschlafen habe." Nein, ich wünsche dem drohenden Tod zu entfliehen, und laufe deshalb zur Tür oder zum Fenster, um hinauszukommen und nicht in meinem Zimmer zu verbrennen.

Es wäre ein sehr zweifelhafter Gewinn, erweckt zu sein und doch nicht der Gefahr zu entrinnen. Erweckung ist nicht Errettung! Ein Mensch kann wissen, daß er verloren ist, und doch niemals errettet werden. Er kann zum Nachdenken gekommen sein und dennoch in seinen Sünden sterben. Wenn du entdeckst, daß du bankrott bist, so wird die Betrachtung deiner Schulden sie nicht bezahlen. Ein Mensch kann seine Wunden das ganze Jahr lang ansehen, doch sie werden nicht schon dadurch geheilt, daß er ihre Schmerzen fühlt und ihre Zahl kennt. Es ist ein Kunstgriff des Teufels, den Menschen dahin zu bringen, sich mit einem Sündengefühl zu begnügen. Und es ist ein Trick desselben Betrügers, ihm einzureden, ein Sünder dürfe Christus nur dann vertrauen, wenn er ein gewisses Maß an Verzweiflung mitbringe, das er dem vollendeten Werk des Heilands hinzufügen könne.

Unsere Erweckung kann dem Werk Christi nichts hinzufügen, sondern sie soll uns zu unserem Retter treiben. Wie abwegig ist es doch, mir einzubilden, daß mein Gefühl der Sünde dazu beitragen kann, sie hinwegzunehmen! Es ist, als wenn ich sagen würde, Wasser könne mein Gesicht nicht reinigen, wenn ich nicht noch länger in den Spiegel sehen und die Schmutzflecken in meinem Gesicht zählen würde. Das Gefühl, daß man die Errettung nötig hat, ist sehr gesund; aber man hat Weisheit nötig, um mit diesem Gefühl richtig umzugehen und nicht einen Götzen daraus zu machen.

Manche Leute scheinen förmlich verliebt in ihre Zweifel, Befürchtungen und Nöte zu sein. Man kann sie nicht davon abbringen. Wenn ein Pferdestall brennt, dann besteht, wie man sagt, die größte Schwierigkeit darin, die Pferde aus ihren Ständen herauszubekommen. Wenn sie nur dem Befehl ihres Besitzers folgten, könnten sie den Flammen entfliehen; aber sie scheinen vor Furcht gelähmt. So hindert die Angst vor dem Feuer ihre Flucht vor dem Feuer. Sollte auch uns die Furcht vor dem zukünftigen Zorn daran hindern, ihm zu entrinnen?

Einer, der lange im Gefängnis gesessen hatte, war nicht bereit, herauszukommen. Die Tür stand offen; aber er bat unter Tränen um die Erlaubnis, an dem Ort bleiben zu dürfen, wo er so lange gewesen war. Das Gefängnis zu lieben! An den eisernen Schlössern und der Gefangenenkost zu hängen! Dieser Gefangene kann ganz gewiß nicht richtig im Kopfe gewesen sein. Doch du, du willst ein Erweckter bleiben und nichts weiter, statt sofort Vergebung zu erlangen? Wenn du in Angst und Furcht verharren willst, dann mußt auch du gewiß etwas von Sinnen sein. Wenn Friede zu haben ist, suche ihn ohne Umwege! Warum in der Dunkelheit der Grube bleiben, wenn deine Füße im Schlamm versinken? Es gibt Licht, wunderbares und himmlisches Licht; warum im Dunkel liegen und in der Angst sterben? Du weißt nicht, wie nah dir das Heil ist. Wenn du es wüßtest, so würdest du sicher die Hand ausstrecken und es nehmen, denn es ist da, und es ist zu haben; du brauchst es nur zu nehmen.

Bilde dir nur ja nicht ein, daß Gefühle der Verzweiflung dich für Gottes Barmherzigkeit zubereiten! Als Bunyans „Pilger“ auf seinem Weg zur Pforte in den Sumpf der Verzweiflung fiel, war da der an seinen Kleidern klebende faule Schlamm dieses Sumpfes eine Empfehlung für ihn, die ihm um so leichter Einlaß am Ziel seines Weges verschaffte? Nein. Das meinte der Pilger nicht, und das darfst auch du nicht meinen. Nicht das, was du fühlst, wird dich retten, sondern das, was *Jesus* tat.

Da ist ein Freund mit der Eisenbahn, Pferdebahn oder dem Omnibus durch unser von Menschen wimmelndes London gefahren, um uns zu besuchen. Plötzlich erbleicht er. Wir fragen ihm, was ihm fehle, und er antwortet: „Ich habe meine Brieftasche verloren, und sie enthielt alles Geld, das ich besitze.“ Er rechnet uns die Summe bis auf den letzten Pfennig vor, beschreibt die Schecks, Banknoten und Münzen. Da sagen wir ihm, es müßte ihm doch ein großer Trost sein, daß er den Umfang seines Verlustes so genau kenne. Er scheint den Wert unserer Tröstung nicht einzusehen. Wir versichern ihm, er solle dankbar sein, ein so klares Gefühl seines Verlustes zu haben. Es gebe viele, die ihre Brieftaschen verlören, ohne ihren Verlust so genau beziffern zu können. Unser Freund wird jedoch dadurch gar nicht aufgeheitert. „Nein“, sagt er, „daß ich weiß, was ich verloren habe, hilft mir nicht, es zurückzubekommen. Sag mir, wo ich mein Eigentum finden kann, dann hast du mir einen wirklichen Dienst erwiesen; aber das bloße Bewußtsein meines Verlustes ist überhaupt kein Trost!“

Genauso ist es ganz recht zu glauben, daß du gesündigt hast und dem Gericht Gottes verfallen bist. Aber das wird dich nicht erretten. Die Errettung geschieht nicht dadurch, daß wir unser eigenes Verderben kennen, sondern dadurch, daß wir uns völlig auf die Erlösung durch Jesus Christus verlassen. Wer nicht auf den Herrn Jesus blicken will, sondern beharrlich nur auf seine Sünde und sein Verderben starrt, der erinnert an den Jungen, dem eine Mark in einen Kanalschacht fiel und der dann stundenlang vor dem Kanaldeckel stehenblieb und sich damit tröstete: „Sie rollte gerade hier hinein; gerade zwischen diesen beiden eisernen Stangen sah ich sie hinunterfallen." Der Arme". Lange mag er sich an alle einzelnen Umstände seines Verlustes erinnern. Doch er bekommt auf diese Weise keinen einzigen Pfennig in seine Tasche zurück, mit dem er sich ein Stück Brot kaufen kann. Lernen wir es, anders als dieser Knabe zu handeln!

Jesus allein

Es kann gar nicht oft und deutlich genug gesagt werden, daß die einzige Hoffnung auf Errettung in dem Herrn Jesus Christus liegt. Jesus genügt, um von der Schuld und der Macht der Sünde zu erretten. Sein Name wird Jesus genannt, *„denn er wird sein Volk erretten von seinen Sünden“*. *„Der Sohn des Menschen hat Vollmacht, auf der Erde Sünden zu vergeben.“* Er ist erhöht, *„Buße und Vergebung der Sünden zu geben.“* Es hat Gott gefallen, einen Heilsplan zu entwerfen, der sich ganz und gar in Seinem eingeborenen Sohn erfüllen sollte. Jesus wurde um unseres Heiles willen Mensch, Er wurde *„gehorsam bis zum Tod, ja, zum Tod am Kreuz“*. Wäre eine andere Weise der Befreiung möglich gewesen, so hätte Gottes eigener Sohn nicht sterben müssen, um uns zu erretten. Die unendliche Gnade ersann das große Opfer; die unendliche Liebe unterwarf sich um unsertwillen dem Tod. Wie können wir meinen, daß es einen anderen Weg geben könne als den, den Gott mit solchen Kosten vorbereitet und uns in der Heiligen Schrift so einfach und so dringend dargestellt hat? *„Es ist in keinem anderen das Heil; denn auch kein anderer Name unter dem Himmel ist den Menschen gegeben, in dem wir errettet werden müssen“* – das ist ganz gewiß wahr.

Anzunehmen, daß Jesus die Menschen nur unvollkommen errettet hätte und daß von unserer Seite noch irgendein Werk oder Gefühl nötig wäre, um Sein Werk zu vollenden, ist verwerflich. Was könnten wir denn auch Seinem Blut und Seiner Gerechtigkeit hinzufügen? *„All unsere Gerechtigkeit ist wie ein beflecktes Kleid.“* Selbst wenn wir irgendwelche Gerechtigkeiten hätten, auf die wir stolz sein könnten, wenn unsere Feigenblätter noch so groß und breit wären, so wäre es doch weiser, sie abzulegen und jene Gerechtigkeit anzunehmen, die Gott viel wohlgefälliger sein muß als unsere eigene. Ich, der ich diese Zeilen schreibe, möchte damit frei bekennen, daß kein Faden an mir gut ist. Ich könnte nicht einmal einen Lumpen daraus machen, nicht ein Lumpenstück. Ich bin vollständig entblößt. Aber wenn ich das schönste Gewand von guten Werken hätte, das ich mir im Stolz nur vorstellen kann, so würde ich es zerreißen und nichts anziehen als die *„Kleider des Heils“*, die mir von Jesus aufgrund Seiner eigenen Verdienste umsonst gegeben werden.

Es verherrlicht unseren Herrn Jesus am meisten, wenn wir alles Gute von Ihm allein erhoffen. Dadurch ehren wir Ihn, wie Er geachtet zu werden verdient. Denn da Er Gott ist und niemand außer Ihm, können wir nichts anderes tun, als auf Ihn blicken, um errettet zu werden. Er erwartet von uns, daß wir so zu Ihm kommen, denn Er lädt alle, die mühselig und beladen sind, zu sich ein, damit Er ihnen Ruhe geben kann.

Das Kind, das in Feuergefahr ist, klammert sich an den Feuerwehrmann, der es auf dem Arm trägt, und vertraut ihm allein. Es fragt nicht nach seiner körperlichen Kraft oder nach der Aufrichtigkeit seiner Absicht, zu retten, sondern es hängt sich an ihn. Die Hitze ist furchtbar, der Rauch erstickend, aber der Retter trägt es schnell in Sicherheit. Hänge dich mit demselben kindlichen Vertrauen an Jesus, der dich aus den Flammen der Sünde heraustragen kann und will!

Die Person unseres Herrn Jesus sollte in uns das vollste Vertrauen wecken. Da Er Gott ist, hat Er die Macht zu erretten; da Er Mensch ist, ist Er voll aller Segensfülle; da Er Gott und Mensch in einer majestätischen Person ist, vereint sich in Ihm des Menschen Natur und Gottes Heiligkeit. Die Leiter ist lang genug, um von dem auf der Erde liegenden Jakob zu dem im Himmel herrschenden Gott zu reichen. Eine andere Leiter zu bringen, hieße vorauszusetzen, daß Er die Entfernung nicht überbrücken könne. Denkt daran, daß Er, Er selbst, der Weg ist. Wer wäre anmaßend genug anzunehmen, daß wir in irgendeiner Weise zu dem göttlichen Weg etwas hinzutun können? Genausogut könnte man behaupten, man müsse zu Ihm selbst etwas hinzufügen. Diese Vorstellung allein ist dem Wesen nach die schlimmste Lästerung des Herrn der Liebe!

Mit eigenen Verdiensten zu Jesus zu kommen, wäre unerträglicher Stolz, selbst wenn wir solche Leistungen vorzuweisen hätten. Was braucht Er von uns? Was könnten wir bringen, was Er nötig hätte? Würde Er die unschätzbaren Segnungen Seiner Erlösung verkaufen? Das, was Er mit Seinem Blut vollendete, will Er uns das verschachern für unsere Tränen und Gelübde oder für die Beobachtung von Traditionen, für Gefühle und Werke? Er ist nicht bedürftig, daß Er sich verkauft; Er will umsonst geben, wie es Seiner königlichen Liebe angemessen ist; und der, der Ihm einen Preis bietet, weiß nicht, mit wem er es zu tun hat. Sünder mit leeren Händen können haben, was sie wollen; alles, was sie brauchen, ist in Jesus, und Er gibt, wenn man Ihn nur darum bittet. Aber wir müssen glauben, daß Er *„alles in allem"* ist und dürfen uns nicht anmaßen, das, was Er vollbracht hat, vervollständigen zu wollen oder uns selbst zu verdienen, was Er uns als unwürdigen Sündern gibt.

Der Grund, weshalb wir auf Vergebung der Sünde und auf ewiges Leben durch Glauben an den Herrn Jesus hoffen dürfen, ist der, daß Gott es so angeordnet hat. Er hat sich im Evangelium verbürgt, alle zu retten, die auf den Herrn Jesus vertrauen, und Er wird nie Seine Verheißung zurückziehen. Er hat solches Wohlgefallen an Seinem eingeborenen Sohn, daß Er Wohlgefallen an allen hat, die sich auf Ihn als ihre einzige Hoffnung verlassen. Der große Gott selbst hat den ergriffen, der Seinen Sohn ergriffen hat; Er wirkt das Heil für alle, die dies Heil von dem einst getöteten Erlöser erwarten. Um der Ehre Seines Sohnes willen läßt Er nicht zu, daß der, der Ihm vertraut, zuschanden wird. *„Wer an den Sohn glaubt, hat ewiges Leben"*; denn der ewige Gott hat ihn zu sich selbst gezogen und ihm einen Anteil an Seinem Leben verliehen. Wenn Jesus allein dein Vertrauen ist, brauchst du nicht zu fürchten, daß du nicht wirklich errettet wirst; sowohl jetzt als auch am Tag Seiner Erscheinung wirst du es werden.

Wenn ein Mensch Christus vertraut, ist eine Verbindung zwischen ihm und Gott da, und diese Verbindung verbürgt Segen. Der Glaube rettet uns, weil er uns an Jesus Christus bindet, der eins mit Gott ist und uns so in Verbindung mit Gott bringt.

Vor Jahren kippte ein Boot oberhalb des Niagara-Falles um, und zwei Männer wurden von der Strömung fortgerissen. Die Leute am Ufer warfen ihnen ein Tau zu, das von beiden ergriffen wurde. Der eine hielt sich daran fest und wurde glücklich ans Ufer gezogen; aber der andere sah ein großes Stück Holz vorbeischwimmen, ließ unglücklicherweise das Tau los und klammerte sich an das Brett, weil es das größere von beiden Dingen war und scheinbar einen besseren Halt bot. Das Brett mit dem Mann darauf stürzte den Abgrund hinab, weil keine Verbindung zwischen dem Holz und dem Ufer bestand. Die Größe des Brettes nützte dem nichts, der es ergriff; zur Rettung war eine Verbindung mit dem Ufer nötig. So wird ein Mensch, der auf seine Werke, seine Gebete, seine Spenden, auf Sakramente oder irgend etwas ähnliches vertraut, nicht errettet werden, denn es ist keine Verbindung da zwischen ihm und Gott durch Jesus Christus. Der Glaube mag zwar nur wie ein dünnes Seil erscheinen, aber er ist in der Hand des großen Gottes auf der Uferseite; die unendliche Macht zieht das Verbindungsseil ein und rettet den Menschen vom Verderben.

Der Glaube ist sehr einfach

Vielen scheint der Glaube etwas Schweres zu sein. In Wirklichkeit ist er nur schwer, weil er leicht ist. Der syrische Hauptmann Naeman hielt es für unter seiner Würde, daß er sich im Jordan waschen sollte. Das war ihm zu einfach. Aber wenn es etwas Großes und Schwieriges gewesen wäre, so hätte er es bereitwillig getan. Viele Leute meinen, die Errettung müsse das Ergebnis irgendeines sehr geheimnisvollen und sehr schwierigen Tuns oder Gefühls sein; aber Gottes Gedanken sind nicht unsere Gedanken, und unsere Wege sind nicht Seine Wege. Damit die Schwächsten und Unwissendsten errettet werden können, hat Er den Weg des Heils so leicht wie das ABC gemacht. Da aber jedermann erwartet, etwas Kompliziertes vollbringen zu müssen, sind viele ganz überrascht, wenn sie feststellen, daß der Glaube so außerordentlich leicht ist.

Unser Problem besteht darin: Wir glauben nicht, daß Gott meint, was Er sagt; wir handeln, als könne es nicht wahr sein.

Ein Sonntagsschullehrer hat zu erklären versucht, was Glaube sei; und da er es den Kindern nicht begreiflich machen konnte, nahm er seine Uhr heraus und sagte: „Nun, ich will dir diese Uhr geben, Johann; willst du sie haben?“ Der Knabe erwiderte in höflicher Bescheidenheit: „Ich danke Ihnen.“ Der Lehrer wandte sich noch an mehrere Schüler – mit demselben Erfolg. Einer der Jüngsten, der nicht so weise oder nachdenkend war wie die anderen, dafür aber gläubiger, sagte schließlich in der natürlichsten Weise: „Vielen Dank!“ und steckte die Uhr in seine Tasche. Da merkten die Jungen erschrocken, daß ihr Freund eine Uhr erhalten hatte, die sie ausgeschlagen hatten. Einer von ihnen fragte gleich den Lehrer: „Darf er sie behalten?“ „Natürlich darf er das“, antwortete der Lehrer, „ich habe sie ihm angeboten, und er hat sie genommen. Ich würde doch nicht etwas geben und dann wieder nehmen. Das wäre nicht recht. Ich habe euch die Uhr angeboten, aber niemand wollte sie haben." – „Wenn ich gewußt hätte, daß Sie es ernst meinten, hätte ich sie auch genommen", sagte der Junge. Er hatte es für Schauspielerei und nichts weiter gehalten. Auch alle anderen Schüler ärgerten sich sehr, daß sie die Uhr verloren hatten. „Ich wußte nicht, daß Sie es so meinten, *sondern ich dachte ...*" – niemand nahm das Geschenk, aber jeder *dachte*. Jeder hatte seine Theorie, mit Ausnahme des Jungen, der einfältig glaubte, was ihm gesagt wurde, und der dann auch die Uhr erhielt. Ich wünschte, ich könnte immer so einfach Kind sein und wörtlich glauben, was der Herr sagt. Ich möchte nehmen, was Er mir schenken will, und mich damit zufriedengeben, daß Er nicht mit mir spielt und daß es nicht Unrecht sein kann, das anzunehmen, was Er mir im Evangelium anbietet. Aber wir wollen um jeden Preis denken und zweifeln.

Wenn Suchende die Bibel beim Wort nehmen und sehen, daß Jesus wirklich für alle gekommen ist, die Ihm vertrauen, so verschwindet jede Schwierigkeit beim Verständnis des Heils wie der Morgentau beim Aufgang der Sonne.

Zwei Schwestern kamen einmal zu mir. Sie hatten nur kurze Zeit das Evangelium von mir gehört, aber es hatte einen tiefen Eindruck auf sie gemacht. Sie bedauerten, daß sie bald weit fortziehen mußten, und wollten mir für das danken, was sie gehört hatten. Darüber freute ich mich, aber ich wünschte sehr, daß mehr in ihnen gewirkt wäre, und fragte sie deshalb: „Glauben Sie in Wahrheit an den Herrn Jesus Christus? Sind Sie errettet?"

Die eine von ihnen erwiderte: „Ich habe versucht zu glauben."

Diese Behauptung habe ich oft gehört, aber ich werde nie jemanden ohne Widerspruch damit durchkommen lassen.

„Nein“, sagte ich deshalb, „das geht nicht; haben Sie je zu Ihrem Vater gesagt, Sie versuchten, ihm zu glauben?“

Nachdem ich eine Zeitlang bei dieser Sache verweilt hatte, räumte sie ein, daß eine solche Aussage eine Beleidigung für ihren Vater wäre. Ich stellte ihnen das Evangelium in so einfachen Worten wie ich nur konnte sehr deutlich vor Augen und bat sie, Jesus zu glauben, der mehr Vertrauen verdiene als der beste Vater. Eine von ihnen erwiderte: „Ich kann nicht wirklich glauben, daß ich errettet bin.“ Darauf entgegnete ich: „Gott bezeugt von Seinem Sohn, daß, wer Ihm vertraut, errettet ist. Wollen Sie Ihn jetzt zum Lügner machen, oder wollen Sie Seinem Wort glauben?“

Während ich so sprach, fuhr die eine ganz erstaunt auf und überraschte uns alle, indem sie ausrief: „Oh, ich sehe alles; ich bin errettet. Oh, danken Sie Jesus für mich; Er hat mir den Weg gezeigt! Ich sehe alles.“

Die Dame, die diese jungen Freundinnen zu mir gebracht hatte, kniete mit ihnen nieder, während wir von ganzem Herzen den Herrn für einen Menschen lobten, der zum Licht durchgedrungen war. Eine der beiden Schwestern konnte jedoch das Evangelium nicht in Anspruch nehmen, wie es die andere getan hatte.

Das Problem ist dies: Die Wahrheit ist immer deutlich, aber manche Menschen schauen nach „Zeichen und Wundern“ aus und sehen deshalb nicht, was ihnen so nahe liegt. Alte Leute suchen oft nach einer Brille, wenn sie auf ihrer Nase sitzt; und genauso oft geschieht es, daß wir das nicht sehen, was gerade vor uns ist. Jesus Christus ist vor unseren Augen, und wir haben nur Ihn anzusehen und zu leben; aber wir verwirren diese Tatsache auf jede nur mögliche Weise und machen ein Labyrinth aus dem, was ein ebener Weg ist.

Eine sehr angesehene Frau kam eines Sonntagmorgens nach

dem Gottesdienst zu mir, um mir die Hand zu schütteln, „denn“, sagte sie, „ich bin an demselben Tage wie Sie fünfzig Jahre alt geworden. In diesem Punkt bin ich Ihnen gleich; aber in anderer Hinsicht bin ich gerade das Gegenteil von Ihnen.“

Ich bemerkte: „Dann müssen Sie eine sehr gute Frau sein, denn ich möchte auch in vielen Dingen das Gegenteil von dem sein, was ich bin.“

„Nein, nein“, sagte sie, „mit mir steht es überhaupt nicht, wie es stehen sollte.“

„Glauben Sie nicht an den Herrn Jesus?“ fragte ich.

„Ach“, sagte sie bewegt, „ich, ich will es versuchen.“

Ich ergriff ihre Hand und sagte: „Sie werden mir doch nicht sagen wollen, daß Sie versuchen, dem Herrn Jesus zu glauben? Das könnte ich nicht ertragen. Das ist reiner Unglaube. Was hat Er getan, daß Sie in dieser Weise von Ihm reden? Würden Sie *mir* sagen, daß Sie versuchen wollten, *mir* zu glauben? Ganz gewiß würden Sie mich nicht so grob behandeln. Sie halten mich für einen aufrichtigen Mann und glauben mir ohne Vorbehalte; wie wagen Sie es, den Herrn Jesus anders zu behandeln?“

Da rief sie unter Tränen aus: „Beten Sie für mich!“

Darauf erwiderte ich: „Ich habe nicht das Gefühl, daß ich das für Sie tun kann. Was kann ich von dem Herrn Jesus für jemand erbitten, der Ihm nicht trauen will? Ich weiß nicht, wofür ich beten könnte. Wenn Sie Ihm glauben wollen, werden Sie errettet werden; und wenn Sie Ihm nicht glauben wollen, so kann ich Ihn nicht bitten, einen neuen Weg zu erkunden, um Ihren Unglauben zu befriedigen.“

Sie sagte darauf wieder: „Ich will versuchen zu glauben“; aber ich antwortete ihr sehr ernst, daß mir ihr Versuchen nicht genüge; denn die Botschaft von dem Herrn Jesus enthielte nichts von „versuchen“, sondern hieße: *„Glaube an den Herrn Jesus Christus, so wirst du selig!“*

Eindrücklich machte ich ihr klar: *„Wer an Ihn glaubt, der hat das ewige Leben“*, und den schrecklichen Gegensatz: *„Wer aber nicht glaubt, ist schon gerichtet, weil er nicht geglaubt hat an den Namen des eingeborenen Sohnes Gottes.“* Ich drängte sie zum vollen Glauben an den gekreuzigten und zum Himmel aufgefahrenen Herrn, und der Heilige Geist ermöglichte es ihr, nun sofort zu glauben. Sie sagte nachdenklich: „Ich habe immer auf meine Gefühle gesehen, und das ist mein Irrtum gewesen!“ Sie fand Frieden durch den Glauben; denn es gibt keinen anderen Weg.

Es hat Gott gefallen, das zum Leben Notwendige zu etwas sehr Einfachem zu machen. Wir müssen essen; und selbst ein Blinder kann den Weg zu seinem Mund finden. Wir müssen trinken; und selbst das kleinste Kind kann es ohne Anleitung tun. Wir haben eine Pumpe im Garten unseres Waisenhauses, und bei heißem Wetter gehen die Jungen von selbst zu ihr. Wir haben keine Klasse um pumpen zu lernen. Viele arme Jungen sind zu unserem Waisenhaus gekommen, aber nie war einer so unwissend, daß er nicht hätte trinken können.

Nun, der Glaube ist im Geistlichen, was Essen und Trinken im Leiblichen sind. Durch den „Mund“ des Glaubens nehmen wir die Segnungen der Gnade in unsere geistliche Natur auf, und sie werden dadurch unser Eigentum. Wenn ihr glauben *wollt*, aber meint, daß ihr es nicht *könnt*: Seht ihr nicht, daß man zum Essen keine Kraft braucht, sondern durch das Essen Kraft erhält? So können wir auch Jesus ohne Anstrengung aufnehmen und dadurch, daß wir Ihn aufnehmen, Kraft empfangen für alle weiteren Anstrengungen, die von uns gefordert werden könnten.

Der Glaube ist eine so einfache Sache, daß ich jedesmal, wenn ich ihn zu erklären versuche, Angst habe, ihn zu kompliziert darzustellen. Als Thomas Scott seine Bemerkungen zu der „Pilgerreise“ hatte drucken lassen, fragte er eine Frau aus unserer Gemeinde, ob sie das Buch verstände. „Oh ja“, sagte sie, „Bunyan verstehe ich ganz gut, und ich hoffe, eines Tages durch die göttliche Gnade auch Ihre Erklärung verstehen zu können.“ Würde es mich nicht treffen, wenn einer meiner Leser wüßte, was der Glaube ist, und dann durch meine Erklärung verwirrt würde? Ich will trotzdem einen Versuch wagen und bitte den Herrn, daß Er ihn deutlich mache.

Mir ist erzählt worden, daß das Nutzungsrecht eines Privatweges strittig war: Der Eigentümer wünschte sein Recht zu wahren, wollte aber andererseits Passanten die Möglichkeit geben, diesen Weg zu benutzen. Daher ersann er eine Möglichkeit, die folgenden Vorfall veranlaßte: Ein Wanderer, der ein kleines Mädchen an dem Tor stehen sah, ging zu ihm und bot ihm einen Schilling, wenn es ihn durchlassen wolle. „Nein, nein“, sagte das Kind, „ich darf nichts von Ihnen nehmen, aber Sie müssen sagen: ‚Bitte erlaube mir, durchzugehen!‘ Dann können Sie gerne durchgehen.“ Um die Erlaubnis mußte gebeten werden; es war also nichts als die Bitte nötig. Genauso bekommen wir das ewige Leben umsonst, ja, wir sollen es unmittelbar bekommen, wenn wir dem Wort dessen vertrauen, der nicht lügen kann. Vertraue Christus, und du wirst durch dieses Vertrauen das Heil und das ewige Leben erlangen. Philosophiere nicht, und zerbrich deinen armen Kopf nicht durch Grübeleien. Glaube Jesus, gerade wie du deinem Vater glauben würdest!

Der Glaube wird dir nicht lange als etwas Schwieriges erscheinen; er sollte es auch nicht, denn er ist sehr einfach.

Glauben heißt vertrauen; ganz auf die Person, das Werk, das Verdienst und die Macht des Sohnes Gottes vertrauen. Manche denken, dieses Vertrauen sei schwierig; aber es ist in Wirklichkeit die einfachste Sache, die es nur geben kann. Für einige von uns sind Wahrheiten, die früher schwer zu glauben waren, jetzt Tatsachen, an denen zu zweifeln uns schwerer werden würde. Wenn einer unserer Urgroßväter von den Toten auferstände und in unsere heutige Zeit käme, wieviel Vertrauen hätte er nötig! Er würde morgens früh sagen: „Wo sind Stahl und Stein? Ich möchte ein Licht anzünden"; und wir würden ihm eine kleine Schachtel geben mit winzigen Holzstückchen darin und ihm sagen, er solle eins davon an der Schachtel anzünden. Er müßte sehr viel Vertrauen aufbringen, um zu glauben, daß auf solche Weise Feuer erzeugt werden könne. Wir würden ihm dann sagen: „Da du jetzt Feuer hast, drehe diesen Hahn, und zünde das Gas an!" Er versteht uns nicht; denn er kann nicht begreifen, wo das Licht herkommen soll. „Komm mit uns, Großvater! Setz dich in diesen Stuhl! Sieh auf den Kasten gerade vor dir, du wirst gleich ein Bild von dir haben." – „Nein, Kind", würde er sagen, „das ist lächerlich. Die Sonne soll mein Porträt zeichnen? Ich kann es nicht glauben." – „Ja, und du kannst ohne Pferde acht Meilen in einer Stunde fahren." Er will es nicht glauben, bis wir ihn zum Zug bringen. „Mein lieber Herr, Sie können mit Ihrem Sohn in New York sprechen, und er wird Ihnen antworten." – Würden wir nicht den alten Herrn in Staunen versetzen? Würde er nicht all seinen Glauben notwendig haben? Dennoch glauben wir diese Dinge ohne Mühe, weil die Erfahrung uns damit vertraut gemacht hat. Glaube scheint euch sehr schwierig, weil Dinge euch fremd sind. Weil wir das neue Leben begonnen haben und mit geistlichen Wirklichkeiten vertraut sind, ist es für uns ganz einfach. Wir haben einen Vater, mit dem wir sprechen, und Er hört uns; wir haben einen Heiland, der unsere Wünsche kennt und uns im Kampf gegen die Sünde hilft. Es ist alles deutlich für den, der versteht. Möge es dir jetzt deutlich sein!

Zaghaftigkeit des Glaubens

Es ist eine seltsame Sache, daß manche Menschen sich fürchten zu glauben. Es sieht wie Demut aus und versucht sich für die Bescheidenheit selbst auszugeben, und doch ist es nichts als Stolz; in der Tat, es ist maskierte Vermessenheit. Wenn die Menschen Angst davor hätten, *nicht* zu glauben, so wäre diese Furcht nur berechtigt; aber Angst davor zu haben, Gott zu vertrauen, ist im besten Fall eine Torheit, und in Wirklichkeit ist es ein betrügerischer Weg, dem Herrn die Ehre zu verweigern, die Seine Treue und Wahrheit verdient.

Wie unnütz ist der Eifer, mit dem wir uns Gründe zu finden bemühen, warum der Glaube uns nicht erretten würde! Gottes Wort sagt, daß, *wer an Jesus glaubt*, nicht umkommen soll, doch wir suchen nach Beweisgründen, warum wir umkommen würden, wenn wir glaubten. Wenn jemand mir ein Landgut schenken würde, finge ich sicherlich nicht an, Fragen über die Rechtsurkunde aufzuwerfen. Was kann es nützen, Gründe zu erfinden, warum ich nicht mein eigenes Haus behalten oder irgendein anderes Stück Eigentum besitzen sollte, über das ich mich freue? Wenn es dem Herrn gefällt, mich durch das Verdienst Seines Sohnes zu erretten, so darf ich mich doch darauf verlassen, daß ich auf diese Weise wirklich gerettet werde. Wenn ich Gott bei Seinem Wort nehme, liegt die Verantwortung für die Erfüllung Seiner Verheißung nicht bei mir, sondern bei Gott, der die Verheißung gab.

Aber du fürchtest, daß du nicht zu denen gehörst, denen die Verheißung gegeben ist. Laß dich durch diesen unsinnigen Gedanken nicht erschrecken! Niemand kann überhaupt zu Jesus kommen, wenn ihn nicht der Vater zieht; und Jesus hat gesagt: *„Wer zu mir kommt, den werde ich nicht hinausstoßen.“* Kein Mensch ergreift Christus unberechtigt. Wer

Ihn hat, der hat Ihn nach göttlichem Recht; denn des Herrn Hingabe *für uns* und *an uns* ist so frei, daß jeder Mensch, der Ihn annimmt, ein aus Gnade gegebenes Recht hat, es zu tun. Wenn du – wie die Frau der biblischen Geschichte – Jesus bei dem Saum Seines Gewandes ergreifst, ohne Erlaubnis und nur von hinten, so wird doch Kraft von Ihm ausgehen, so gewiß, als wenn Er dich beim Namen gerufen und dich aufgefordert hätte, Ihm zu vertrauen. Vergiß alle Angst, wenn du Jesus vertraust! Nimm Ihn an, es steht dir ganz frei. Wer an Jesus glaubt, ist einer der Auserwählten Gottes.

Du meinst, es wäre schrecklich, wenn du auf Jesus vertrautest und dann doch umkämst? Ja, das wäre schlimm. Aber da du umkommen mußt, wenn du nicht vertraust, so ist das Wagnis auch im schlimmsten Fall nicht sehr groß.

Angenommen, du stecktest für immer im Sumpf der Verzweiflung, wozu wäre das gut? Es wäre doch besser auf der Straße des Königs zu sterben bei dem Bemühen, die himmlische Stadt zu erreichen, als immer tiefer in den Schlamm und Schmutz dunkler, mißtrauischer Gedanken zu versinken. Du hast nichts zu verlieren, denn du hast schon alles verloren; deshalb wag es, an die Barmherzigkeit Gottes dir gegenüber zu glauben.

Doch dann fragt sich ein anderer: „Was ist, wenn ich zu Christus komme und Er mich abweist?“ Meine Antwort ist: „Versuch es!“ Verlaß dich auf den Herrn Jesus, und sieh, ob Er dich abweist! Du wärest der erste, vor dem Er die Tür der Hoffnung zugeschlossen hat. „Jesus nimmt die Sünder an.“ Er hat noch nicht *einmal* einen Menschen hinausgestoßen.

Da verirrte sich eines Abends ein Mann und kam, wie er meinte, an den Rand eines Abgrunds. Er stand, so befürchtete er, in Gefahr, von der Klippe hinabzufallen. Darum klammerte er sich mit aller Kraft an diese schwache Stütze.

Er war überzeugt, wenn er seinen Halt loslasse, würde er an irgendeinem furchtbaren Felsen dort unten zerschmettert werden. Da hing er nun, den Schweiß auf der Stirn und den Schmerz in allen Gliedern. Er geriet in einen verzweifelten Zustand von Fieber und Schwäche, und zuletzt konnte er sich mit den Händen nicht länger in der Höhe halten. Er ließ los. Er fiel von seiner Stütze hinab. Er fiel ungefähr einen Fuß tief, und eine sanfte Moosbank empfing ihn, auf der er unverletzt und vollkommen sicher bis zum Morgen lag.

So denken viele in dem Dunkel ihrer Ungewißheit, daß ihr Verderben sicher ist, wenn sie ihre Sünden bekennen, alle Hoffnung auf sich selbst fahren lassen und sich den Händen Gottes überlassen. Sie haben Angst, die unsichere Hoffnung loszulassen, an die sie sich geklammert haben. Es ist eine unsinnige Furcht. Gib deinen Halt an alles außer an Christus auf, und laß dich fallen! Laß alles los, das Vertrauen auf deine Werke, deine Gebete oder Gefühle! Laß jetzt los! Wie die Moosbank den Mann in unserer Geschichte, so wird Jesus Christus dich sicher auffangen. In Seiner Liebe, in der Kraft Seines Blutes, in Seiner vollkommenen Gerechtigkeit wird Er dir Ruhe und Frieden geben. Laß dein Selbstvertrauen; wirf dich in Jesu Arme! Dies ist der wesentliche Teil des Glaubens: jeden anderen Halt aufgeben und einfach auf Christus fallen. Es ist kein Grund da zur Furcht; nur die Unwissenheit verursacht euch Angst vor dem, was eure ewige Sicherheit sein wird. Der Tod der eigenen Hoffnung ist das Leben des Glaubens, und das Leben des Glaubens ist das ewige Leben. Laßt das Ich sterben, damit Christus in euch lebe!

Aber das Schlimmste ist, daß wir die Menschen zu diesem einen Akt des Glaubens an Jesus nicht bringen können. Ihr Ich aufgeben? Nein. Lieber wollen sie alle anderen Mittel ausprobieren. Sie scheuen das Vertrauen und fürchten sich vor dem Glauben, als wenn Er ein Ungeheuer wäre. Wer hat euch nur diese Angst eingeflößt? Ihr fürchtet das, was der

Tod aller Furcht sein würde und der Anfang eurer Freude. Warum wollt ihr umkommen, indem ihr verkehrterweise andere Wege dem von Gott bestimmten Heilsplan vorzieht?

Es gibt viele Menschen, die sagen: „Wir werden aufgefordert, auf Jesus zu vertrauen; aber statt dessen wollen wir regelmäßig die Gnadenmittel benutzen." Besucht den Gottesdienst auf jeden Fall, aber nicht als Ersatz für den Glauben, sonst ist euer Vertrauen vergeblich! Das Gebot lautet: *„Glaube und lebe!"* Haltet euch an diesen Satz! Andere sagen: „Ich will gute Bücher lesen, vielleicht wird mir das nützen." Lest gute Bücher auf jeden Fall, aber das ist nicht das Evangelium! Das Evangelium lautet: *„Glaube an den Herrn Jesus, und du wirst gerettet werden!"*

Angenommen, ein Arzt behandelte einen Kranken und sagte zu ihm: „Sie müssen morgens ein Bad nehmen, das wird Ihnen gut tun." Aber der Mann trinkt morgens eine Tasse Tee, statt ein Bad zu nehmen, und sagt: „Das wird ohne Zweifel ebensogut sein." Was wird der Arzt dazu sagen? „Da Sie meine Vorschriften nicht beachten, erwarten Sie gewiß nicht, daß meine Besuche Ihnen etwas nützen würden!"

Verhalten wir uns Jesus Christus gegenüber nicht oft ähnlich? „Herr, du forderst mich auf, dir zu vertrauen; aber ich will lieber etwas anderes tun. Herr, ich möchte ein schreckliches Gefühl meiner Sündhaftigkeit haben; ich möchte erschrocken und trostlos sein." Ja, ihr wollt alles, nur das nicht, was Christus euch vorschreibt: daß ihr *Ihm einfach vertrauen* sollt. Ob ihr fühlt oder nicht fühlt, verlaßt euch auf Ihn, damit Er euch rettet, Er allein.

„Aber Sie wollen doch nicht sagen, daß Sie gegen Beten und Lesen guter Bücher usw. sind?" Kein einziges Wort sage ich gegen diese Dinge, so wenig wie ich, wenn ich der oben erwähnte Arzt wäre, etwas dagegen hätte, daß der

Mann seine Tasse Tee trinkt. Laß ihn seinen Tee trinken – wenn er nur nicht das vorgeschriebene Bad läßt. Laßt uns beten, je mehr, desto besser! Laßt uns in der Bibel lesen! Aber laßt uns daran denken, daß, wenn dies an die Stelle des einfachen Glaubens an Christus gesetzt wird, wir verlorengehen werden! Hütet euch, damit nicht der Herr von vielen von euch sagt: *„Ihr erforscht die Schriften, denn ihr meint in ihnen ewiges Leben zu haben... aber ihr wollt nicht zu mir kommen, damit ihr Leben habt."*

Habt ihr einmal gesehen, wie eine Tanne Wurzel zwischen Felsen faßt, die ihr gar keinen Boden zu gewähren scheinen? Sie sendet eine kleine Wurzel in irgendeine schmale Spalte, die sich öffnet; sie umklammert selbst den nackten Felsen wie mit einer ungeheuren Vogelklaue; sie hält fest und bindet sich mit hundert Ankern an die Erde. Wir haben oft Bäume gesehen, die auf losgerissenen Stücken kahler Felsen festgewurzelt standen.

Mach du es ebenso! Erfasse den Fels des Heils! Halte dich mit den kleinen Wurzeln des noch schwachen Glaubens an Ihm fest! Laß diesen winzigen Fühler wachsen, sende mittlerweile einen zweiten aus, denselben Felsen zu ergreifen! Erfasse Jesus, und halte Ihn fest! Wachse in Ihn hinein! Schling die Wurzeln deines Herzens um Ihn herum! Es steht dir frei wie der Tanne, sich um den Fels zu schlingen; sei du so fest an Ihn gebunden wie die Fichte an dem Abhang des Berges!

Schwierigkeiten, die dem Glauben im Wege stehen

Es mag sein, daß der Leser es schwierig findet zu glauben; aber er soll nur weiter darüber nachdenken! Wir können nicht durch einen unmittelbaren Akt glauben! Der innere Zustand, den wir als Glauben beschreiben, ist bereits Folge bestimmter früherer Zustände. Wir kommen allmählich zum Glauben. Es mag einen Glauben „auf den ersten Blick" geben, aber gewöhnlich gelangen wir stufenweise zum Glauben; wir fühlen ein Interesse, wir überlegen, wir hören Beweise, wir werden überzeugt und so zum Glauben geführt. Was kann ich also tun, wenn ich zwar glauben möchte, aber aus der einen oder anderen Ursache meine, daß ich es nicht kann? Soll ich dastehen wie eine Kuh, die das neue Tor anstarrt, oder soll ich wie ein vernünftiges Wesen die geeigneten Mittel einsetzen? Wenn ich etwas zu glauben wünsche, was soll ich tun? Wir wollen nach den Regeln des gesunden Menschenverstandes antworten.

Wenn man mir erzählen würde, der Sultan von Sansibar sei ein guter Mann, und das wäre zufällig etwas, was mich interessierte, so fiele es mir vermutlich nicht schwer, das zu glauben. Wenn ich aber aus irgendeinem Grunde einen Zweifel daran hätte und doch wünschte, die Nachricht zu glauben, wie würde ich handeln? Würde ich nicht alle nur möglichen Erkundigungen über den Sultan einziehen und versuchen, um durch Lesen der Zeitung und aus anderen Quellen die Wahrheit darüber zu erfahren? Noch besser, wenn er zufällig hier im Lande wäre und mich sehen wollte und ich auch mit Mitgliedern seines Hofes und Bürgern seines Landes reden könnte,so würde ich dadurch, daß ich diese Quellen benutzte, leicht zu einem zuverlässigen Urteil kommen.

Es ist wahr, daß der Glaube an Jesus die Gabe Gottes ist; aber Er gewährt sie gewöhnlich in Übereinstimmung mit den Gesetzen des Verstandes, und deshalb wird uns gesagt, daß *„der Glaube aus dem Hören kommt, das Hören aber aus dem Wort Gottes"*. Wenn du an Jesus glauben willst, dann höre und lies, was von Ihm gesagt wird; denke an ihn, rede zu ihm, und dann wirst du feststellen, daß der Glaube aufsprießt wie der Weizen, der durch die Feuchtigkeit und Wärme, die auf den gesäten Samen einwirken, hervorkommt. Wenn ich einem bestimmten Arzt Vertrauen schenken müßte, erkundige ich mich nach seinen Erfolgen, lasse mir seine Diplome zeigen und frage ihn danach, was er über gewisse schwierige Fälle zu sagen hat.

Hört viel von Jesus! Zu Hunderten kommen Menschen zum Glauben an Jesus, wenn Er ihnen beständig und klar vor Augen gestellt wird. Wenige bleiben ablehnend, wenn das große Thema des Predigers Christus, der Gekreuzigte ist. Hört keinen Prediger, bei dem es anders ist! Es gibt viele davon. Ich habe von einem gehört, der eines Tages in seiner Kanzelbibel einen Zettel mit den Worten fand: „Herr, wir wollen *Jesus* sehen!" Geht zum Gottesdienst, um Jesus zu sehen, und wenn nicht einmal Sein Name erwähnt wird, dann geht an einen anderen Ort, wo man mehr von Ihm erwartet und wo es deshalb wahrscheinlicher ist, daß Er gegenwärtig ist!

Lest viel von dem Herrn Jesus! Die Bibel ist das Fenster, durch das wir unseren Herrn Jesus sehen können. Lest die Geschichte Seines Leidens und Seines Todes mit andächtiger Aufmerksamkeit, und es wird nicht lange währen, bis der Herr in verborgener Weise den Glauben in euch anzünden wird! Wenn Hören und Lesen nicht genügen, dann versuche, durch wiederholtes Überlegen zur Gewißheit zu kommen. Glaube oder mache dir den Grund klar, weshalb du nicht glaubst! Beschäftige dich mit der Sache, so gut du es nur vermagst, und bitte Gott, dir zu helfen, gründlich genug zu sein und zu einer ehrlichen Entscheidung nach dieser oder jener Seite hin zu kommen! Betrachte, wer Jesus war, und ob Seine Person Ihm nicht ein Recht auf dein Vertrauen gibt! Betrachte, was Er tat, und ob dies nicht ein guter Grund ist, zuversichtlich zu sein! Betrachte ihn, wie Er stirbt, von den Toten aufersteht, zum Himmel auffährt und für immer lebt und für Übertreter bittet, und sieh, ob dies Ihm nicht ein Recht auf dein Vertrauen gibt! Dann rufe Ihn an, und sieh, ob Er dich nicht hört! Wenn du Jesus kennenlernen willst, dann komm Ihm so nahe wie möglich, indem du dich mit Seiner Person befaßt und dich Seiner Liebe anvertraust!

Früher hätte ich Beweise nötig gehabt, um an den Herrn Jesus zu glauben; aber jetzt kenne ich Ihn so gut, weil ich mit Ihm gelebt habe, daß es sehr vieler Beweise bedürfte, bis ich an Ihm zweifeln würde. Es fällt mir jetzt leichter zu vertrauen als zu mißtrauen. Das ist ein Sieg der neuen Natur, es war zunächst nicht so. Meistens ist der Glaube anfangs noch schwach; aber ein Akt des Vertrauens nach dem anderen macht das Glauben zur Gewohnheit. Die Erfahrung bringt dem Glauben Bestätigung.

Weil die Wahrheit, die ich glaube, ein Wunder an mir gewirkt hat, bin ich nicht vom Zweifel beunruhigt. Dadurch habe ich ein neues Leben empfangen, das mir einst fremd war. Es geht mir wie dem Mann und seiner Frau, die seit Jahren in einem Leuchtturm wohnen. Eines Tages blickt ein Besucher aus dem Fenster über die Wasserwüste hinaus und fragt die Frau: „Haben Sie nachts keine Angst, wenn der Sturm wütet und die großen Wellen gerade über die Laternen spritzen? Fürchten Sie nicht, daß der Leuchtturm und alles, was darinnen ist, fortgerissen werden könnte? Ich hätte sicher Angst, mich einem schlanken Turm mitten in den Wellen anzuvertrauen." Die Frau erwiderte, daß der Gedanke ihr niemals käme. Sie hatte so lange da gewohnt, daß sie sich auf einem einsamen Felsen ebenso sicher fühlte, wie sie sich je auf dem festen Land hätte sicher fühlen können. Und als ihr Mann gefragt wurde, ob er sich keine Sorgen machte, wenn ein Orkan tobte, antwortete er: „Doch, ich habe die Sorge, die Lampen gut rein und die Lichter brennend zu halten, damit kein Schiff kentert.“ Was die Sorge um die Festigkeit des Leuchtturms oder seiner persönlichen Sicherheit betraf, hatte er sie längst überwunden.

Genauso geht es dem gereiften Glaubenden. Er kann demütig sprechen: „Ich weiß, an wen ich glaube, und ich bin gewiß, daß Er mich bewahren kann bis an jenen Tag. Mache mir also niemand Mühe mit Zweifeln und Fragen! Ich trage in mir das Siegel der Wahrheit und der Macht des Geistes, und ich will nichts mehr von euren verkehrten Schlußfolgerungen wissen. Für mich ist das Evangelium Wahrheit. Ich setze mein ganzes Leben auf die Wahrheit des Evangeliums, und ich weiß, daß dies kein Wagnis ist. Meine einzige Sorge ist, die Lichter brennend zu halten, damit ich anderen dadurch nützen kann. Wenn mir der Herr nur genug Öl für meine Lampen gibt, so daß ich einen Strahl über das dunkle und trügerische Meer des Lebens werfen kann, bin ich völlig zufrieden!“

Wenn nun dein Prediger und viele andere, denen du Vertrauen schenkst, vollkommenen Frieden und Ruhe in dem Evangelium gefunden haben, warum sollte es bei dir anders sein? Ist der Geist des Herrn eingeengt? Tun nicht Seine Worte denen gut, die ehrlich danach leben? Willst du nicht auch die rettende Kraft versuchen? Sehr wahr ist das Evangelium, denn Gott ist Sein Urheber. Glaube es! Mächtig ist der Heiland, denn Er ist Gottes Sohn. Traue ihm! Wirksam ist Sein teures Blut. Erwarte dadurch Vergebung!

So möchte ich den Leser eindringlich bitten, den Glauben zu suchen; aber wenn er das nicht will, was kann ich noch tun? Ich habe das Pferd ans Wasser gebracht, aber ich kann es nicht zwingen zu trinken. Fest steht: Der Unglaube ist unbelehrbar, wenn einem Menschen Beweise vorgelegt sind und er sich weigert, sie sorgfältig zu prüfen! Wer die Wahrheit nicht kennenlernen und annehmen will, ist selbst daran schuld, wenn er bis an seinen Tod sein Leben auf eine Lüge baut. Es ist wahr: „*Wer da glaubt und getauft wird, der wird selig werden.*“ Es ist genauso wahr: „*Wer aber nicht glaubt, der wird verdammt werden.*“

Aussicht auf Hilfe

Um dem Suchenden zum Glauben an Jesus zu helfen, möchte ich an das stellvertretende Werk des Herrn erinnern. *„Denn Christus ist, als wir noch kraftlos waren, zur bestimmten Zeit für Gottlose gestorben“* (Römer 5,6). *„Welcher selbst unsere Sünden an seinem Leibe auf dem Holz getragen hat“* (1. Petrus 2,24). *„Der Herr warf unser aller Sünde auf ihn“* (Jesaja 53,6). *„Denn auch Christus ist einmal für eure Sünden gestorben, der Gerechte für die Ungerechten, auf daß er euch zu Gott führte“* (1. Petrus 3.18).

Auf eine Aussage der Heiligen Schrift wollen wir unseren Blick besonders lenken: *„Durch seine Wunden sind wir geheilt“* (Jesaja 53,5). Gott betrachtet hier die Sünde wie eine Krankheit, und Er stellt uns das Heilmittel vor, das Er bereitet hat.

Ich bitte euch, mich zu begleiten, wenn ich versuche, euch die Wunden des Herrn Jesus vor Augen zu stellen. Der Herr beschloß, uns wieder heil zu machen, und deshalb sandte Er Seinen eingeborenen Sohn, „wahrer Gott vom wahren Gott“, der in die Welt kam und unsere Natur annahm, um uns zu erlösen. Er lebte als Mensch unter Menschen, und nach 33 Jahren des Gehorsams kam der Zeitpunkt, wo Er uns den größten aller Dienste tun sollte, nämlich an unserer Stelle zu stehen und die *„Strafe zu tragen, auf daß wir Frieden hätten“*. Er ging nach Gethsemane, und da, als Ihm unser bitterer Kelch gereicht wurde, schwitzte Er Schweiß wie große Blutstropfen. Er ging in die Halle des Pilatus und vor den Richterstuhl des Herodes und erlitt dort Schmerz und Hohn an unserer Stelle. Zuletzt führten sie Ihn zum Kreuz und nagelten Ihn dort an, um zu sterben, an unserer Stelle zu sterben.

Das Wort „Wunden“ soll Sein körperliches wie Sein seelisches Leiden ausdrücken. Christus wurde ganz zum Opfer für uns gemacht. Er litt als ganzer Mensch. Mit Seinem Körper und Seiner Seele zugleich hatte Er an einem Schmerz teil, der nie beschrieben werden kann. Bei Seinem inneren Kampf in Gethsemane sonderte sich von Seinem Leibe Schweiß ab, so reichlich, daß er auf die Erde fiel. Noch ehe Er sich von diesem furchtbaren Kampf erholen konnte, führten sie Ihn in die Halle des Hohenpriesters. Mitten in der Nacht banden sie Ihn und führten Ihn weg. Danach brachten sie Ihn zu Pilatus und zu Herodes. Diese geißelten Ihn, ihre Soldaten spien Ihm ins Angesicht, sie schlugen Ihn und setzten Ihm eine Dornenkrone aufs Haupt. Die Geißelung ist eine der schrecklichsten Martern, die Menschen in ihrer Bosheit erfinden können. Die römische Geißel soll aus Ochsensehnen gemacht worden sein, die in Knoten geflochten wurden, und in diese Knoten wurden Knochensplitter getan, so daß jedesmal, wenn die Geißel auf den bloßen Rücken fiel, *„die Pflüger tiefe Furchen machten"*. Jesus mußte die schrecklichen Schmerzen der römischen Geißel ertragen, und zwar nicht als das *Ende* Seiner Strafe, sondern als Vorbereitung auf die Kreuzigung. Dazu schlugen Ihn Seine Verfolger mit Fäusten und rissen Ihm die Haare aus; sie ersparten Ihm keine Form des Schmerzes. Trotz Seiner Schwäche, die durch das Bluten und Fasten verursacht war, ließen sie Ihn Sein Kreuz tragen, bis ein anderer gezwungen wurde, es zu tragen, damit ihr Opfer nicht auf dem Weg stürbe. Sie zogen Ihm Seine Kleider aus, warfen Ihn nieder und nagelten Ihn an das Kreuz. Sie durchbohrten Seine Hände und Seine Füße. Sie richteten das Kreuz auf und senkten es an seinem Platz in die Erde, so daß alle Seine Glieder ausgerenkt wurden, wie es in der Klage Psalm 22 heißt: *„Ich bin ausgeschüttet wie Wasser, alle meine Gebeine haben sich zertrennt."* Er hing in der brennenden Sonne, bis das Fieber Ihn kraftlos gemacht hatte und Er sprach: *„Mein Herz ist in meinem Leibe wie zerschmolzenes Wachs. Meine Kräfte sind vertrocknet wie eine Scherbe, und meine Zunge klebt an meinem Gaumen, und du legst mich in des Todes Staub."* Da hing er, als eine Zurschaustellung vor Gott und Menschen.

Das Gewicht Seines Körpers wurde zunächst durch Seine Füße gestützt, bis die Nägel die Sehnen und Nerven zerrissen, und dann zog die schmerzliche Last an Seinen Händen und zerriß auch diese empfindlichen Teile Seines Körpers. Welche Schmerzen kann schon eine ganz kleine Wunde in der Hand verursachen. Wie furchtbar muß die Qual gewesen sein, als die Nägel die empfindlichen Teile der Hände und Füße zerrissen! Nun waren alle Arten leiblicher Schmerzen in Seinem gequälten Körper vereint.

Die ganze Zeit über standen Seine Feinde um Ihn herum, zeigten mit Hohn auf ihn, streckten ihre Zungen im Spott heraus, lachten über Seine Gebete und freuten sich über Seine Leiden. Er rief: *„Mich dürstet!“*, und da gaben sie Ihm Essig mit Galle vermischt. Nach einer Weile sprach er: *„Es ist vollbracht!“* Er hatte den Ihm zugemessenen Schmerz bis aufs äußerste erduldet und der göttlichen Gerechtigkeit völlige Genugtuung gewährt. Dann und nicht eher gab Er den Geist auf.

Die äußeren Leiden unseres Herrn zu beschreiben, ist nicht leicht. Ich bekenne, daß es mir mißlungen ist. Aber Seine seelischen Leiden, wer kann sie begreifen, geschweige denn ausdrücken? Ich sagte schon, daß Er große Blutstropfen schwitzte. Da fand Seine innere Bedrängnis körperlichen Ausdruck. Er sagte: *„Meine Seele ist betrübt bis an den Tod.“* Der Verrat des Judas und das Verlassen der Zwölf schmerzten unseren Herrn; aber das Gewicht unserer Sünde war der eigentliche Druck, der auf Ihm lastete. Unsere Schuld war die Kelter, die Ihm den Lebenssaft auspreßte. Keine Sprache kann je Seine Angst angesichts Seiner Leiden ausdrücken; wie wenig können wir dann von dem Leiden selbst verstehen!

Als Er an das Kreuz genagelt wurde, erduldete er, was kein Märtyrer je erlitt; denn Märtyrer sind bei ihrem Tode so von Gott gestärkt worden, daß die sich in ihren Schmerzen gefreut haben. Aber unser Erlöser war von dem gerechten Gott verlassen, bis Er ausrief: *„Mein Gott, mein Gott, warum hast du mich verlassen!"* Das war der bitterste Ruf von allen, die äußerste Tiefe Seines unergründlichen Schmerzes. Doch es war nötig, daß Er verlassen wurde, weil Gott der Sünde den Rücken kehren muß und folglich auch ihm, der für uns zur Sünde gemacht wurde. Jesus erlebte stellvertretend das Grauen der Gottesferne, das Sünder erdulden müßten, wenn Er nicht die Sünde auf sich genommen hätte und zum Fluch für sie geworden wäre, d. h. an ihrer Stelle geworden wäre. Es steht geschrieben: *„Verflucht ist jeder, der am Kreuze hängt."* Aber wer weiß, was dieser Fluch bedeutet?

In den stellvertretenden Leiden des Herrn Jesus, und nur in ihnen, findet sich das Heilmittel für eure Sünden und für meine. Um unseretwillen trug der Herr Jesus Christus diese Wunden. Fragt ihr: „Können wir irgend etwas tun, um die Sünde hinwegzunehmen?", so antworte ich: „Ihr könnt überhaupt nichts tun. Durch die Wunden Jesu sind wir geheilt. Er hat die ganze Strafe erduldet und keine übrig gelassen, die wir erleiden müßten."

„Aber müssen wir nicht an Ihn glauben?" – Ja, natürlich. Wenn ich von einer bestimmten Salbe sage, sie heilt, dann leugne ich nicht, daß ihr einen Verband braucht, um diese Salbe auf die Wunde aufzutragen. Der Glaube ist der Verband, der die Salbe der Versöhnung Christi auf die Wunde unserer Sünde bindet. Nicht der Verband heilt, sondern die Salbe. Genauso heilt auch der Glaube nicht; das tut nur das Opfer Christi.

„Aber wir müssen Buße tun!" wirft ein anderer ein. Gewiß müssen und sollen wir das, denn die Buße ist das erste Zeichen der Heilung; aber geheilt werden wir durch die Wunden Jesu und nicht durch unsere Buße. Diese Wunden wirken, wenn wir sie betrachten, Buße. Wir hassen die Sünde, weil sie Jesu Leiden verursachte.

Du vertraust auf Jesus, der für dich gelitten hat? Dann mußt du einsehen, daß Gott dich niemals für dieselbe Sünde strafen wird, für die Jesus starb. Seine Gerechtigkeit erlaubt Ihm nicht, die Schuld erst durch den Bürgen bezahlen zu lassen und dann noch einmal durch den Schuldner. Die Gerechtigkeit kann nicht zweimal die Begleichung der Schuld fordern. Wenn ein blutender Bürge die Schuld getragen hat, kann ich sie nicht tragen. Indem ich Jesus Christus für mich leidend annehme, habe ich eine vollständige Freisprechung von rechtlicher Verbindlichkeit angenommen. Ich bin in Christus verdammt worden, und deshalb gibt es jetzt für mich keine Verdammnis mehr. Das ist die Grundlage der Sicherheit des Sünders, der an Jesus glaubt. Er lebt, weil Jesus an seiner Stelle starb, und Gott kann ihn annehmen, weil Jesu Opfer angenommen ist. Wenn Jesus als mein Stellverteter angenommen ist, dann muß ich frei ausgehen; niemand kann mich antasten, ich bin rein. Willst du Jesus Christus als deinen Stellvertreter haben? Dann bist du frei. *„Wer an ihn glaubt, der wird nicht gerichtet.“* So werden wir *„durch seine Wunden geheilt“*.

Ein wirkliches Hindernis

Obwohl es an sich keineswegs eine schwierige Sache ist, dem zu glauben, der nicht lügen kann, und dem zu vertrauen, von dem wir wissen, daß Er erretten kann, mag es doch geschehen, daß einem Menschen etwas im Wege steht. Dieses Hindernis kann gut versteckt sein, aber darum ist es nicht weniger gefährlich. Eine Tür kann nicht nur durch einen großen Stein verschlossen sein, den alle sehen, sondern auch durch einen kleinen Riegel, der ganz verborgen ist. Ein Mensch kann gute Augen haben und doch nicht imstande sein, einen Gegenstand zu sehen, weil etwas anderes im Wege steht. Du wärst nicht einmal in der Lage, die Sonne zu sehen, wenn dir ein Lappen vors Gesicht gebunden wäre.

Eine einzige Sünde, die jemand in seinem Herzen verbirgt, kann ihn hindern, im Glauben Christus zu ergreifen. Der Herr ist gekommen, uns von der Sünde zu erretten; aber wenn wir entschlossen sind, an der Sünde festzuhalten, so werden wir nie mit Jesus übereinstimmen. Wenn ein Mann Gift nimmt und ein Arzt herbeigerufen wird, um sein Leben zu retten, dann mag der ein sicheres Gegengift bereit haben. Wenn der Patient darauf besteht, die Giftflasche an seine Lippen zu halten, und darauf besteht, die tödlichen Tropfen hinunterzuschlucken, wie kann der Arzt ihn retten? Das Heil besteht wesentlich darin, daß der Sünder von seiner Sünde getrennt wird, und deshalb können wir nicht sagen, ein Mensch sei errettet, wenn er die Sünde liebt und vorsätzlich darin lebt. Etwas Schwarzes kann nicht weiß gemacht werden und doch schwarz bleiben; ebenso wenig kann jemand errettet sein und doch ein Liebhaber des Bösen bleiben.

Ein Trinker wird durch den Glauben an Christus errettet, d. h., er wird von der Sucht errettet; aber wenn er sich weiterhin betrinkt, ist er nicht davon errettet und hat nicht wirklich an Jesus geglaubt. Ein Lügner kann durch den Glauben von der Falschheit errettet werden, aber dann hört er auf zu lügen und bemüht sich, die Wahrheit zu sagen. Jedem ist einsichtig, daß er nicht vom Lügen errettet sein und doch bei Betrug und Unwahrheit bleiben kann. Jemand, der mit einem anderen in Feindschaft lebt, kann von dem Gefühl der Feindschaft errettet werden, wenn er an den Herrn Jesus glaubt; aber wenn er weiter Haßgefühle hegen *will*, ist klar, daß er davon nicht errettet ist, und ebenso klar, daß er nicht aufrichtig an den Herrn Jesus geglaubt hat. Es geht darum, von der Liebe zur Sünde befreit zu werden. Das ist die sichere Folge des Vertrauens zu Jesus; aber wenn die Wirkung gar nicht gewünscht wird, ja, man sie sogar zurückweist, dann ist alles Reden vom Vertrauen auf Jesus ein Selbstbetrug.

Da geht ein Mann zu einer Reiseagentur und erkundigt sich, wie er nach Amerika kommen könne. Man versichert ihm, daß gerade ein Schiff bereit sei. Er brauche nur an Bord zu gehen, dann würde er bald New York erreichen. „Aber", sagt er, „ich will zu Haus in England bleiben und mich um meine Geschäfte kümmern, während ich auf dem Atlantischen Ozean reise." Der Reiseagent nimmt an, daß er es mit einem Verrückten zu tun hat, und sagt ihm, er solle an seine Geschäfte gehen und nicht die Zeit damit vergeuden, den Narren zu spielen. So zu tun, als wolltet ihr Christus vertrauen, daß Er euch von der Sünde errettet, während ihr entschlossen seid, darin zu verharren, heißt Christus spotten.

Da ist ein Baum ganz mit Efeu überwachsen, der ihn erstickt, ihm das Leben aussaugt und ihn tötet. Kann dieser Baum gerettet werden? Der Gärtner glaubt, daß es möglich ist. Er will sein Bestes tun. Aber ehe er beginnt, Axt und Messer zu gebrauchen, wird ihm gesagt, daß er den Efeu nicht abschneiden dürfe. „Dann", sagt er, „ist es unmöglich. Der Efeu tötet den Baum, und wenn ihr den Baum retten wollt, könnt ihr den Efeu nicht retten. Wenn ihr mir vertraut, daß ich den Baum retten kann, müßt ihr mich die tödliche Schlingpflanze wegnehmen lassen." Das ist nicht mehr als gesunder Menschenverstand. Ihr braucht den Baum dem Gärtner erst gar nicht anzuvertrauen, wenn er das nicht wegschneiden darf, was dem Baum das Leben nimmt. Genauso gilt: Wenn der Sünder an seiner Sünde festhalten will, muß er darin sterben. Wenn er hingegen von seiner Sünde wirklich errettet werden will, kann der Herr Jesus es tun und will es tun, wenn er sich ihm überläßt.

Was ist deine Lieblingssünde? Irgendein grobes Laster? Die Liebe zur Welt, Menschenfurcht oder Verlangen nach ungerechtem Gewinn? Durch diese Sünden bleibst du in Feindschaft Gott gegenüber, und dein Leben muß Ihm mißfallen. Oder ist es eine menschliche Liebe, die dein Inneres ganz mit Beschlag belegt? Kann irgendein Geschöpf diesen Herrn Jesus aufnehmen? Ist es nicht Götzendienst, irgend etwas Irdisches auch nur einen Augenblick mit Gott, dem Herrn, zu vergleichen?

„Aber", sagt einer, „wenn ich die Sünde aufgeben wollte, die mich gefangenhält, würde es für mich ein bedeutender Schaden im Geschäft sein; es würde meine Aussichten ruinieren und meinen Einfluß verringern." Wenn es so ist, gelten für diesen Fall die Worte des Herrn Jesus, daß es besser ist, Auge, Fuß oder Hand zu verlieren, als in die Hölle geworfen zu werden. Es ist besser mit *einem* Auge, mit geringeren Aussichten ins Leben einzugehen, als alle deine Hoffnungen zu behalten und von Christus getrennt zu sein. Besser ein hinkender Gläubiger als ein hüpfender Sünder! Wenn du Christus gewinnst, wird es wenig ausmachen, was du verlierst. Ohne Zweifel haben viele etwas erleiden müssen, was sie für dieses Leben verstümmelt oder gelähmt hat; aber wenn sie dadurch ins ewige Leben eingegangen sind, so ist es für sie nur Gewinn gewesen.

Was wählst du dir, Christus oder die Seligkeit oder die Lieblingssünde und Verdammnis? Es gibt keinen Mittelweg. Warten oder sich nicht entscheiden wollen, das wird in Wirklichkeit eine sichere Entscheidung für das Böse sein. Wer steht und fragt, ob er ehrlich sein soll oder nicht, ist schon von der geraden Linie abgewichen. Wer nicht weiß, ob er von der Sünde gereinigt werden will, beweist schon sein unreines Herz. Wenn du wirklich alle falschen Wege aufgeben willst, so wird Jesus dich befähigen, das sofort zu tun. Seine Gnade hat schon deine Wünsche verändert. In der Tat, dein Herz ist erneuert. Deshalb vertraue Ihm, daß Er dich stärken wird, die Versuchung zu überwinden und des Herrn Gebot zu erfüllen. Der Herr Jesus kann die Lahmen springen lassen wie Hirsche; Er kann Gichtbrüchigen befehlen, ihr Bett zu nehmen und wieder zu gehen. Er wird dich fähig machen, die bösen Gewohnheiten zu überwinden. Seine Macht zu reinigen und zu heilen hat keine Grenzen. Jetzt, da du bereit bist, gesundgemacht zu werden, ist die große Schwierigkeit entfernt. Er, der den Willen verändert hat, kann auch alle anderen Fähigkeiten ordnen und zu seinem Preise einsetzen. Du hättest nicht ernsthaft gewünscht, alle Sünden aufzugeben, wenn Er dich nicht unmerklich in diese Richtung gelenkt hätte. Wenn du Ihm jetzt vertraust, wird Er, der das gute Werk in dir angefangen hat, es auch ganz gewiß vollenden.

Unnötige Fragen

In unseren Tagen ist ein einfacher kindlicher Glaube sehr selten; das Gewöhnliche ist, nichts zu glauben und alles in Frage zu stellen. Zweifel sind so reichlich vorhanden wie Brombeeren, und alle Hände und Lippen tragen Flecken davon. Mir scheint es sehr sonderbar, daß die Menschen da, wo es um ihr eigenes Heil geht, alle möglichen Schwierigkeiten aufstöbern. Wenn ich zum Tode verurteilt wäre und Nachricht von meiner Befreiung bekäme, würde ich bestimmt nicht meinen Verstand gebrauchen, um Gründe ausfindig zu machen, weshalb ich nicht begnadigt werden sollte. Das könnte ich meinen Feinden überlassen; ich würde mich in einer ganz anderen Richtung umsehen. Wenn ich dem Ertrinken nahe wäre, würde ich lieber nach einem Strohhalm greifen, als einen Rettungsgürtel von mir wegstoßen. Gegen sein eigenes Leben zu sprechen, ist eine Art von Selbstmord in Worten, den nur ein Tor begehen würde. Gegen deine einzige Hoffnung Beweisgründe zu sammeln, heißt an dem Ast zu sägen, auf dem du sitzt. Wer anders als ein Idiot würde das tun? Doch scheinen viele Menschen Anwälte für ihr eigenes Verderben zu sein. Sie stöbern die ganze Bibel nach drohenden Sprüchen durch, und wenn sie damit fertig sind, so gehen sie zur Vernunft, zur Philosophie, zum Unglauben, um sich die Tür vor der Nase zuzuschlagen. Das ist wahrlich eine armselige Beschäftigung für einen vernünftigen Menschen!

Viele, die nicht ganz von religiösen Gedanken wegkommen können, versuchen heute, die unbequemen Hinweise des Gewissens abzuwehren, indem sie die großen Wahrheiten der Offenbarung in Frage stellen. Es ist nur natürlich, daß die Bibel große Geheimnisse enthält; denn wie kann der unendliche Gott so sprechen, daß alle Seine Gedanken von endlichen Menschen erfaßt werden können? Aber es ist der Gipfel der Torheit, diese tiefen Dinge erörtern zu wollen und dabei einfache, rettende Wahrheiten beiseite zu lassen. Es erinnert einen an die beiden Philosophen, die im Wirtshaus über die Ernährung diskutierten und hungrig vom Tisch aufstanden, während der einfache Landmann am anderen Tisch keine Fragen stellte, sondern Messer und Gabel eifrig gebrauchte und fröhlich fortging. Tausende freuen sich jetzt ihres Glaubens, weil sie das Evangelium wie kleine Kinder angenommen haben, während andere, die stets Schwierigkeiten sehen oder erfinden, die tröstliche Gewißheit des Heils immer noch nicht fassen können. Ich kenne viele aufrichtige Leute, die entschlossen scheinen, niemals zu Christus zu kommen, bis sie verstehen können, wie die Lehre von der Erwählung sich mit der freien Einladung des Evangeliums verträgt. Ich könnte genauso gut beschließen, nie ein Stück Brot zu essen, bis ich verstanden hätte, warum einerseits Gott mich lebendig erhält und andererseits ich doch essen muß, um zu leben. Es ist doch einfach so, daß die meisten von uns schon genug wissen und das, was wir wirklich nötig haben, nicht Licht im Kopf, sondern Wahrheit im Herzen ist, nicht Hilfe bei Schwierigkeiten, sondern Gnade, damit wir die Sünde hassen und Versöhnung suchen.

An dieser Stelle muß ich eine Warnung vor dem Herumkritisieren an Worten Gottes hinzufügen. Keine Gewohnheit kann verderblicher sein. Es ist törichte Anmaßung, den Schöpfer korrigieren zu wollen. Wer die Bibel beim Lesen willkürlich zerstückelt, wird bald allen Glauben verlieren. Das Gefühl der Ehrfurcht ist gesund, aber der Hochmut, das von Gott eingegebene Wort zu kritisieren, zerstört jedes richtige Gefühl Gott gegenüber.

Wenn ein Mensch die Schrift in stolzem, kritischem Geist gelesen hat, dann aber zu einem bestimmten Zeitpunkt fühlt, daß er einen Retter braucht, kann es leicht geschehen, daß sein Gewissen ihm im Wege steht und ihn hindert, Trost zu schöpfen, indem es ihn daran erinnert, wie schlecht er das Wort Gottes behandelt hat. Es fällt ihm schwer, Trost aus

Stellen der Bibel zu schöpfen, die er von oben herab behandelt oder als gar nicht beachtenswert ganz beiseite gesetzt hat. Wenn die Zeit der Not kommt, geben die Brunnen, die er mit Steinen verstopft hat, ihm kein Wasser für seinen Durst. Hüte dich, wenn du ein Schriftwort verachtest, daß du nicht den einzigen Freund verwirfst, der dir in der Stunde der Angst helfen kann!

Ein vornehmer Herr war gewohnt, sich jeden Morgen von seinem Diener ein Kapitel aus der Bibel vorlesen zu lassen. Wenn etwas nicht mit seinem Urteil übereinstimmte, rief er streng: „Johann, streiche das!" Eines Tages dauerte es lange, bis Johann zu lesen anfing. Er blätterte in dem Buch umher, bis sein Herr ausrief: „Johann, warum liest du nicht?" Da antwortete Johann: „Herr, es ist kaum noch etwas übrig; es ist alles ausgestrichen." An einem Tag war dies, am anderen das dem Herrn nicht angenehm gewesen, und er hatte soviel ausstreichen lassen, bis nichts mehr übrig war, ihn zu trösten oder zu belehren. Laßt uns nicht durch scharfe Kritik unsere eigenen Güter vernichten! Vielleicht haben wir morgen die Verheißungen nötig, die heute unnötig erscheinen, und jene Teile der Heiligen Schrift, die von den Gläubigen am meisten angegriffen werden, können sich noch als wesentlich für unser Leben erweisen. Deshalb wollen wir den unermeßlichen Schatz der Bibel hüten und nie eine einzige Zeile davon aufgeben.

Was haben wir mit spitzfindigen Fragen zu tun, solange unser Leben in Gefahr ist? Der Weg, der Sünde zu entrinnen, ist deutlich genug, „daß auch die Toren darauf nicht irren mögen". Gott macht uns nicht mit einem Heil unglücklich, das wir nicht verstehen können. Glaube und lebe! ist ein Gebot, daß ein Kind begreifen und dem es gehorchen kann.

Statt an der Schrift herumzukritisieren, wird der, der vom Geist Gottes geleitet wird, sich Jesus anschließen. Dann beginnt ein seliges Leben; er wird von Angst befreit und wird die völlige Liebe erfahren, die alle Furcht austreibt.

Ein Metzger in Newark, New Jersey, erhielt einen Brief aus seiner alten Heimat in Deutschland mit der Nachricht, daß ihm durch den Tod eines Verwandten eine beträchtliche Summe Geld als Erbschaft zugefallen sei. Er war gerade dabei, ein Schwein zu schlachten. Nachdem er den Brief gelesen hatte, nahm er schnell seine schmutzige Schürze ab und beendete seine Arbeit nicht, sondern verließ die Werkstatt, um Vorbereitungen für die Rückkehr nach Deutschland zu treffen. Kann man ihn deswegen tadeln? Hätte er etwa in Newark bei seinem Schlacht- und Hackmesser bleiben sollen?

Das ist ein Beispiel für die Wirkung des Glaubens! Der Metzger glaubte, was ihm mitgeteilt worden war, und handelte sogleich danach. Er war ein vernünftiger Mann.

Gott hat den Menschen Seine Botschaft gesandt, die ihnen die frohe Nachricht vom Heil bringt. Wenn jemand glaubt, daß die Botschaft wahr ist, nimmt er den ihm verkündeten Segen an und beeilt sich, Ihn zu ergreifen. Wenn er wirklich glaubt, wird er ohne Umschweife Christus annehmen mit allem, was Er zu schenken hat. Er wird von seinem gegenwärtigen bösen Weg umkehren und den Weg zur himmlischen Stadt antreten, wo der volle Segen genossen werden soll. Er kann gar nicht zu früh heilig werden oder zu früh die Wege der Sünder verlassen. Wenn jemand wirklich sehen könnte, was die Sünde ist, würde er vor ihr fliehen wie vor einer tödlichen Schlange und sich freuen, durch Jesus Christus von ihr befreit zu werden.

Ohne Glauben kein Heil

Manchen scheint es hart, daß ihnen das Verderben angekündigt wird, wenn sie nicht an Jesus Christus glauben wollen; aber wenn sie eine Minute darüber nachdenken wollten, würden sie sehen, daß es gerecht und vernünftig ist.

Ich nehme an, es gibt kein anderes Mittel für einen Menschen, seine Kraft zu erhalten, als das Essen. Wenn du sagtest: „Ich will nicht wieder essen, ich verachte solchen Materialismus“, so könntest du nach Madeira gehen oder in alle Länder reisen (vorausgesetzt, daß du lange genug lebtest), aber du würdest ganz sicher feststellen, daß kein Klima und keine Bewegung im Freien ausreichen würden, dich am Leben zu erhalten, wenn du dich weigertest, Nahrung zu dir zu nehmen. Würdest du dann klagen: „Es ist hart, daß ich sterben muß, weil ich nicht ans Essen glaube“? Es ist nicht ungerecht, daß du sterben mußt, wenn du so töricht bist, nicht zu essen. Genauso verhält es sich mit dem Glauben. *„Glaube, so wirst du errettet!“* Wenn du nicht glauben willst, ist es nicht hart, daß du verloren gehst.

Da steht ein durstiger Mann vor einer Quelle. „Nein“, sagt er, „ich will keinen Tropfen Flüssigkeit anrühren, solange ich lebe. Kann ich nicht meinen Durst auf eine andere Weise löschen?“ Wir sagen ihm: „Nein; du mußt trinken oder sterben.“ Er antwortet: „Ich will niemals trinken; aber es ist hart, daß ich sterben muß. Es ist grausam, mir das so offen zu sagen.“ Er hat unrecht. Sein Durst ist die unvermeidliche Folge davon, daß er ein Naturgesetz verachtet.

Aber du mußt glauben oder sterben; warum weigerst du dich, dem Gebot zu gehorchen? Trink, Mann, trink! Nimm Jesus an, und lebe! Da ist der Weg des Heils; um ihn zu betreten, mußt du dich Jesus anvertrauen; aber es ist nichts Hartes an der Tatsache, daß du umkommen mußt, wenn du dem Retter nicht vertrauen willst.

Da befindet sich ein Mann mit seinem Schiff auf dem Meer. Er hat eine Seekarte, und die Seekarte wird ihn, zusammen mit einem Kompaß zum Ziel seiner Reise führen. Der Polarstern strahlt durch die Wolkenrisse, und auch der wird ihm helfen. „Nein“, sagt er, „ich will nichts mit den Sternen zu tun haben; ich glaube nicht an den Nordpol. Ich werde nicht auf das kleine Ding da in dem Kasten achten; die eine Nadel ist so gut wie die andere. Ich glaube nicht an eure Seekarte und will nichts damit zu tun haben. Die Navigationskunst ist lauter Unsinn, den sich die Leute erdacht haben, um Geld zu machen; ich will nicht dadurch geprellt werden.“ Als der Mann den Hafen nicht erreicht, da sagt er: „Es ist hart, sehr hart.“ Ich bin da anderer Ansicht.

Einige von euch sagen: „Ich will nicht die Schrift lesen, ich will nicht auf eure Reden von Jesus Christus hören; ich glaube nicht an solche Dinge.“ Dann sagt Jesus: *„Wer nicht glaubt, der wird verdammt werden.“* – „Das ist sehr hart“, sagst du. Aber es ist nicht so. Es ist nicht härter als die Tatsache, daß du den Hafen nicht erreichen wirst, wenn du Kompaß und Polarstern verwirfst. Da gibt es keine Hilfe; es muß sein.

Du wohnst vielleicht am jenseitigen Ufer eines Flusses und mußt über eine Brücke gehen, um nach Hause zu kommen. Doch du bist so albern, weder an die Notwendigkeit der Boote noch an das Vorhandensein des Wassers zu glauben. Du sagst: „Ich will nicht über eine von euren Brücken gehen, und ich will nicht in eins von euren Booten steigen. Ich glaube nicht, daß ein Fluß da ist.“ Du machst dich auf den Heimweg und kommst bald an die Brücke; aber du willst nicht hinübergehen. Dort ist ein Boot, aber du bist entschlossen, nicht einzusteigen. Da ist der Fluß, und du nimmst dir vor, daß du auf keine der angebotenen Arten hinübergehen willst, und doch meinst du, es sei sehr hart, daß du nicht nach Hause kommen kannst. Irgend etwas muß deine Verstandeskräfte zerrüttet haben, denn du würdest es nicht für ungerecht halten, wenn du bei Sinnen wärst. Wenn ein Mensch sich weigert, das zu tun, was zur Erreichung eines Zieles notwendig ist, wie kann er dann erwarten, dieses Ziel zu erreichen?

Du hast Gift genommen, und der Arzt bringt dir ein Gegengift und sagt: „Nimm es geschwind, sonst wirst du sterben; wenn du es sofort einnimmst, so garantiere ich dafür, daß das Gift unschädlich gemacht wird." Aber du sagst: „Nein, Herr Doktor, ich glaube nicht an Gegengifte. Es muß alles seinen Lauf nehmen; ich will nichts mit den Heilmitteln zu tun haben. Außerdem glaube ich nicht, daß es irgendein Heilmittel gibt gegen das Gift, das ich eingenommen habe; ja, im Grunde ist es mir einerlei, ob es eins gibt oder nicht." Nun, Mann, du wirst sterben; und wenn die Leichenschau vorgenommen wird, so wird man sagen: „Es geschah ihm recht."

Genauso ist es, wenn du, nachdem du das Evangelium von Jesus Christus gehört hast, sagst: „Ich bin ein zu gebildeter Mensch, um mich mit dieser altmodischen Idee von Stellvertretung zu befassen. Ich werde nicht auf das Reden des Predigers von Opfer und Blutvergießen achten." Wenn du nun umkommst, wird dein eigenes Gewissen bei der letzten Untersuchung urteilen: „Selbstmord, er brachte seine eigene Seele ins Verderben." So sagt auch die Bibel: „O Israel, du bringst dich ins Unglück."

Ein Wort an Gläubiggewordene

Wenn ihr begonnen habt, dem Herrn zu vertrauen, so vertraut Ihm ganz und gar! Laßt euren Glauben euer ganzes Leben durchdringen! Vertraut dem Herrn nicht bloß für geistliche Dinge, sondern vertraut Ihm für immer, für Zeit und Ewigkeit, für Leib und Seele! Der Herr kann und will alles tragen, was der Glaube Ihm je auflegen kann. Die größten Lasten sind für Seine Weisheit leicht, und die dunkelsten Geheimnisse sind für Seine Weisheit klar. Vertraue Gott völlig! Stütze dich auf ihn, ja, stütze dich mit allem, was dich belastet, auf den mächtigen Gott Jakobs!

Die Zukunft kannst du dem Herrn überlassen, der für immer lebt und sich nie verändert. Die Vergangenheit ist jetzt in deines Heilands Hand, und du wirst ihretwegen nie verdammt werden, wie sie auch gewesen sein mag, denn der Herr hat deine Missetaten in die Tiefen des Meeres geworfen. Nimm schon in diesem Augenblick die Vorrechte in Anspruch, die dir aufgrund dieser Tatsache zustehen. Du bist errettet. Wenn du an den Herrn Jesus glaubst, bist du vom Tod ins Leben durchgedrungen, und du bist errettet.

In den Tagen der Sklaverei brachte eine Dame ihre schwarze Sklavin an Bord eines englischen Schiffes und sagte lachend zum Kapitän: „Ich nehme an, wenn ich mit Tante Chloe nach England gehe, wird sie wohl frei sein." – „Gnädige Frau", erwiderte der Kapitän, „sie ist jetzt frei." In diesem Augenblick, als sie an Bord eines englischen Schiffes kam, war sie frei. Als die Sklavin dies hörte, verließ sie das Schiff nicht mehr – nein, natürlich nicht. Es war nicht die Hoffnung der Freiheit, die sie kühn machte, sondern die Tatsache der Freiheit.

So hofft ihr jetzt nicht bloß auf das ewige Leben, sondern *„wer an ihn glaubt, der hat das ewige Leben"*. Nehmt dies als eine Tatsache an, die in dem heiligen Wort geoffenbart ist, und beginnt euch darüber zu freuen! Grübelt nicht darüber und stellt es nicht in Frage; glaubt es, und springt vor Freude!

Ich wünsche, daß mein Leser, wenn er an den Herrn Jesus glaubt, an ein ewiges Heil glaubt. Sei nicht zufrieden mit der Vorstellung, daß du eine neue Geburt erhalten kannst, die wieder zum Tode führen wird, ein himmlisches Leben, das zu Ende kann gehen, eine Vergebung, die zurückgenommen werden wird! Der Herr Jesus gibt den Seinen das ewige Leben; darum hör nicht auf zu suchen, bis du es hast! Wenn es aber ewig ist, wie kann es dann auf einmal aufhören? Es gibt einen lebendigen, unvergänglichen Samen, der lebt und für immer bleibt. Laß dich nicht abspeisen mit einer zeitweiligen Veränderung, einer Art von Gnade, die nur blüht, um zu welken! Ich habe keinen Auftrag, dir bloß Errettung für eine mehr oder weniger lange Zeit zu verkünden; das Evangelium, das mir anvertraut ist, lautet: *„Wer da glaubt und getauft wird, der wird selig werden."* Er soll errettet werden von der Sünde, vom Zurückkehren zur Sünde, vom Hinüber gehen auf den „breiten Weg". Möge der Heilige Geist euch leiten, damit ihr nichts Geringeres glaubt!

„Meinst du", sagt einer, „ich soll glauben, daß, wenn ich einmal Christus vertraue, ich errettet werde, ganz gleich, welche Sünde ich auch begehen werde?" Das habe ich nicht gesagt. Ich habe die wirkliche Errettung beschrieben als eine gründliche Änderung des Herzens von so radikaler Art, daß sie deinen Geschmack und deine Wünsche ändert; und ich sage dir, wenn eine solche Änderung durch den Heiligen Geist in dir gewirkt ist, wird sie dauerhaft sein; denn des Herrn Arbeit ist nicht wie Schleuderware, die bald in Stücke geht. Vertraue dem Herrn, daß Er dich bewahren kann, wie lange du auch lebst und wie vielen Versuchungen du auch ausgesetzt sein magst; und *„es wird geschehen nach deinem Glauben"*! Glaube an den Herrn Jesus zum *ewigen* Leben!

Vertraue dem Herrn doch auch in allen Leiden der Gegenwart! In der Welt wirst du Trübsal haben; lerne durch den Glauben, daß alle Dinge zum besten dienen, und dann unterwirf dich dem Willen des Herrn! Sieh das Schaf an, wenn es geschoren wird! Wenn es ganz still liegt, wird die Schere es nicht verletzen; wenn es sich sträubt, kann es vorkommen, daß es geschnitten wird. Unterwirf dich Gottes Handeln, dann wird das Leiden seinen Stachel verlieren! Eigenwille und Unzufriedenheit verursachen hundertmal mehr Schmerzen als unsere Leiden selbst. Gottes Wille ist besser als der deinige. Wenn du das glauben kannst, dann kannst du dich diesem Willen nicht nur unterwerfen, sondern dich sogar darüber freuen!

Vertraue dem Herrn Jesus, was deine *Heiligung* betrifft! Manche scheinen zu denken, der Herr Jesus könne sie nicht völlig, d. h. nach Geist, Seele und Leib, heiligen. Deshalb geben sie willig einigen Sünden Raum und nehmen an, daß es keine Hilfe dafür gebe, sondern daß sie, solange sie leben, in dieser Form dem Teufel Tribut zahlen müßten. Begib dich nicht in die Sklaverei irgendeiner Sünde, sondern kämpfe um die Freiheit! Sei es Zorn oder Unglaube oder Trägheit oder irgendeine andere Form der Sünde, wir sind durch die göttliche Gnade imstande, davon frei zu werden. Keine Tugend ist dem unmöglich, der an Jesus glaubt; und keine Sünde braucht den Sieg über ihn zu haben. In der Tat, es steht geschrieben: *„Die Sünde wird nicht über euch herrschen können; denn ihr seid nicht unter dem Gesetz, sondern unter der Gnade.“* Glaube daran, daß du im großen Maße Freude im Herrn erleben und Jesus ähnlich werden kannst, und gehe vorwärts, diese köstlichen Dinge in Besitz zu nehmen; denn wie du glaubst, soll dir geschehen! *„Alle Dinge sind möglich dem, der da glaubt“*; und selbst der größte Sünder kann so geheiligt werden, daß er dem größten Heiligen nicht nachsteht.

Nimm in deinem Leben schon die Freude des Himmels voraus! Dazu scheint ein großer Glaube nötig zu sein, aber doch nicht mehr, als wir haben sollten. Schon in sehr kurzer Zeit soll der, der an den Herrn Jesus glaubt, mit Ihm sein, wo Er ist. Sein Haupt wird eine Krone tragen; seine Augen sollen den König in Seiner Schönheit sehen; seine Ohren sollen die Stimme des Herrn hören; seine Seele soll in der Herrlichkeit sein, und sein armer Leib soll von den Toten auferstehen und Unverweslichkeit erlangen. Herrlichkeit, Herrlichkeit, Herrlichkeit! Und so nahe, und so gewiß! Laß uns sofort den Lobgesang anstimmen und diese Seligkeit schon im voraus genießen!

Aber vielleicht wendet jemand ein: „Wir sind noch nicht da." Nein, aber der Glaube erfüllt uns mit Glück bei dem Gedanken daran, und bis dahin stärkt Er uns auf dem Wege. Ich wünschte so sehr, daß du fest an den Herrn allein glaubst. Ich möchte dich ganz auf dem Felsen stehen sehen und nicht mit dem einen Fuß auf dem Sand. Vertraue in diesem sterblichen Leben auf Gott in allen Dingen, und vertraue Ihm allein! Das ist die rechte Lebensweise. Gottes Arm ist stark genug, daß man sich daran festhalten kann.

Ich will euch etwas aus der Erfahrung eines alten Arbeiters mitteilen, den ich früher kannte. Er fürchtete Gott mehr, als viele andere es tun, und war vom Geist Gottes gründlich unterwiesen. Er war ein Mann, der Hecken und Gräben in Ordnung zu halten, aber noch besser das einfache Gottvertrauen zu üben verstand. Er beschrieb den Glauben einmal so: „Es war ein bitterkalter Winter, ich hatte keine Arbeit und kein Brot im Haus. Die Kinder hungerten. Der Schnee war tief, und mein Weg war dunkel. Mein Meister hatte mir gesagt, ich könnte mir etwas Holz holen, wenn ich es brauchte; und ich dachte, ein Feuer würde die armen Kinder wärmen; deshalb ging ich mit meinem Beil, um etwas zu holen. Ich stand nahe bei einem tiefen Graben, der voll Schnee war, viele Fuß tief; ich wußte nicht, wie viele. während ich ein Stück abhauen wollte, glitt mir meine Axt aus der Hand und fiel in den Schnee, wo ich nicht hoffen konnte, sie zu finden. Als ich da stand ohne Lebensmittel, ohne Feuer, und die Axt verloren hatte, schien in mir etwas zu sagen: ‚Willi Richardson, kannst du jetzt Gott vertrauen?', und mit ehrlicher Überzeugung konnte ich sagen: ‚Das kann ich.'"

Das ist wahrer Glaube, der Glaube, der dem Herrn vertraut, wenn die Axt verloren ist; der Glaube, der Gott vertraut, wenn aller äußere Schein ihn Lügen straft; der Glaube, der glücklich ist mit Gott allein, wenn alle Freunde uns den Rücken kehren.

Liebe Leser, ich wünschte, ich und du, wir hätten diesen köstlichen Glauben! Die Wahrheit des Herrn verdient ihn; Seine Liebe beansprucht ihn; Seine Treue drängt uns dazu. Glücklich ist der, der ihn hat. Er ist der Mensch, den der Herr liebt; und die Welt soll das wissen.

Im Grunde ist der allerbeste Glaube ein alltäglicher Glaube, der es mit Brot und Wasser, Röcken und Strümpfen, Kindern und Vieh, Miete und Wetter zu tun hat. Die superfeine, konfektartige Religion, die nur für die Sonntage ist und für feierliche Versammlungen und Bibelstunden, wird nie einen Menschen zum Himmel bringen, es sei denn, das Leben wäre eine einzige, lange Konferenz und die Woche bestände aus sieben Sonntagen. Der Glaube wächst am besten, wenn er viele Jahre lang, von Monat zu Monat, dem Herrn vertraut, was den kranken Ehemann betrifft, die leidende Tochter, das schlechtgehende Geschäft, den unbekehrten Freund und ähnliche Dinge.

Der Glaube hilft uns auch, „diese Welt zu brauchen, ohne sie zu mißbrauchen". Er ist nötig bei schwerer Arbeit und bei täglicher Pflicht, in Küchen und Werkstätten, jeden Tag, das ganze Jahr hindurch. Vertrauen auf den lebendigen Gott ist das Gold, aus dem echter Mut gemünzt wird. Beharrlichkeit und Gutestun ist eins der Felder, auf dem der Glaube nicht die Blumen, sondern den Weizen seiner Ernte pflanzt. Unermüdlich weiterarbeiten, auch bei schwierigen Aufgaben, eine Familie mit kargen Lohn ernähren, beständigen Schmerz mit Geduld tragen, das sind die tapferen Taten, durch die Gott von jedem Glied Seiner großen Gemeinde verherrlicht wird.

Wir wollen nicht danach trachten, groß zu werden, sondern wir wollen eifrig nach Heiligung streben! Wir wollen dabei auf die Hilfe des Herrn, unseres Gottes vertrauen, dem wir gehören und dem wir dienen! Wir wollen bitten, Tag für Tag geheiligt zu werden! Wir wollen unserem Gott unsere tägliche Arbeit ebenso anvertrauen wie die Anliegen unseres Seelenheils! Wir wollen Ihm vertrauen, was unsere geistlichen Vorrechte und unsere Hoffnung auf den Himmel betrifft! Der Herr ist der Gott unseres Hauses; Jesus ist unser „Freund“ geworden und hat uns „Brüder“ genannt, und der Heilige Geist ist unser Tröster in jeder Stunde des Leidens. Wir haben keinen unnahbaren Gott; Er hört, Er erbarmt sich, Er hilft. Wir wollen Ihm für alle Zeit ohne Zweifel, ohne Bedenken vertrauen!

Wenn wir bisher ängstlich in der weiten Welt des Unglaubens gestanden haben, soll der Heilige Geist uns befähigen, jetzt den großen, entscheidenden Schritt zu tun und ein für allemal zu sagen: *„Herr, ich glaube; hilf meinem Unglauben!“*

CLV

Taschenbuch

William MacDonald

Man lebt nur einmal

64 Seiten
DM 2,80
ab 20 Exemplare: DM 1,–
ISBN 3-89397-138-6 (CLV)
ISBN 3-89436-008-9 (CVD)

Wir alle haben lebenswichtige Entscheidungen zu treffen und müssen uns überlegen, wie wir dabei vorgehen. In diesem Buch denkt William MacDonald (bekannt durch Bücher wie »Wahre Jüngerschaft«, »Licht für den Weg«, und viele mehr) über das Leben nach – um genau zu sein – über Ihr Leben, Ihr Jetzt und Ihre Zukunft. Tatsache ist, daß es bestimmte Entscheidungen im Leben gibt, die jeder zu treffen hat, und diese Entscheidungen bestimmen, wie unser Leben und unsere Zukunft aussehen werden.

clv

Taschenbuch

C. H. Spurgeon

Glaube nur

64 Seiten
DM 2,80
ISBN 3-89397-178-7 (CLV)
ISBN 3-89436-034-8 (CVD)

»Millionen Menschen leben weit entfernt von Gott. Sie kümmern sich nicht um ewige Dinge und sorgen mehr für ihre Katzen und Hunde als für ihre Seelen. Manche aber sind nicht fern vom Reiche Gottes. Sie sehen vor der Tür des Glaubens, dem einzigen Eingang zum ewigen Leben.«

Um diese Fragenden und Suchenden zu einem einfachen Vertrauen auf Jesus Christus zu führen, wurde dieses Büchlein geschrieben.